20, allée de la Danse

•••••••••••••••••••••••

L'Éditeur tient à remercier tout particulièrement pour leur aide précieuse :
Élisabeth Platel, Directrice de l'École de Danse de l'Opéra de Paris ;
Astrid Boitel, Assistante de direction de l'École de Danse de l'Opéra de Paris ;
Benjamin Beytout, Adjoint au Directeur Commercial et du Développement
de l'Opéra de Paris.

•••••••••••••••••••••••

OPÉRA
NATIONAL
DE PARIS

20, allée de la Danse
Petite rebelle

Elizabeth Barféty
Illustré par Magalie Foutrier

La neige tombe à gros flocons dans le parc de l'École de Danse de l'Opéra de Paris. Les arbres sont nus et la pelouse recouverte d'un épais manteau blanc. Depuis la fenêtre de sa chambre à l'internat, Zoé aperçoit les silhouettes emmitouflées de quelques élèves qui se pressent afin de rejoindre les bâtiments. Après deux semaines d'absence pendant les vacances de Noël, les petits rats sont de retour.

Pour certains, devoir de nouveau quitter

sa famille après quinze jours de fêtes n'a pas été facile… Zoé en fait partie. Et elle sait que Maïna – une des deux filles qui partagent sa chambre, mais aussi une de ses meilleures amies à l'École – est dans le même cas. Pourtant, fidèle à son caractère, cette dernière fait contre mauvaise fortune bon cœur.

– C'est vraiment beau toute cette neige ! s'émerveille-t-elle, en rejoignant Zoé à la fenêtre.

– T'es vraiment folle, toi ! répond la petite rousse en levant la tête vers sa copine. Tu viens de passer deux semaines à te chauffer les fesses chez toi, en Martinique… À ta place, je serais roulée en boule sous ma couette !

Son amie a un sourire indulgent.

– Je sais que ça fait bizarre pour ceux

qui ont toujours vécu en métropole, mais moi, j'adore l'hiver. Et la neige !

Zoé souffle sur la vitre pour y faire de la buée, et trace ensuite au doigt une caricature de Maïna en quelques traits : cheveux crépus, grand sourire, grosses joues.

– Tu es un écureuil des neiges, en fait ! déclare-t-elle en admirant son œuvre.

Toutes les deux font partie d'une bande d'amis inséparables, un groupe de quatre filles et deux garçons, élèves de sixième division, la première année à l'École. Ils se donnent tous des surnoms, et Zoé fait référence à celui de Maïna, « l'écureuil ». C'est la petite rousse qui l'a trouvé, inspiré par la tendance de son amie à collectionner tout et n'importe quoi, mais aussi par ses bonnes joues de bébé.

– Et toi ? Tu ne m'as rien raconté de tes vacances ! s'exclame Maïna. Comment va ta famille ?

Zoé s'éloigne de la fenêtre pour aller s'asseoir par terre. Leur chambre à l'internat est composée d'une partie commune comprenant l'entrée, les toilettes à gauche et la salle de bains à droite, puis de trois box séparés par des cloisons hautes. À l'intérieur, chacune dispose de son espace personnel : un lit, une table et une chaise. Le box de Zoé est dans un bazar très habituel : vêtements éparpillés, valise ouverte, trousse de crayons de couleurs qui débordent sur la couette, peluches tombées du lit, carnets de dessin et pages de magazines découpées en vrac sur le bureau…

La petite rousse sort son portable de la

poche de son jean, fait défiler des photos quelques instants avant de trouver celle qu'elle cherchait.

– Tiens, regarde comme Tim a grandi! lance-t-elle à Maïna en lui tendant le téléphone. Tu as vu ses joues?

À l'écran s'affiche le visage d'un bébé blond bien dodu. Tim, le petit frère de Zoé, a un an à peine. Elle secoue gravement la tête, puis reprend :

– Je crois que mes parents doivent se rendre à l'évidence : ils ont enfanté un bébé panda.

Maïna éclate de rire, avant d'interroger :

– Pas trop dur de le quitter?

Zoé soupire sans répondre.

La vérité, c'est qu'elle a eu un choc en arrivant à l'aéroport d'Ajaccio, deux semaines plus tôt. Son petit frère avait tellement changé, tellement grandi, qu'elle l'a à peine reconnu. Et c'est en voyant les têtes réjouies de ses parents qu'elle s'est rendu compte combien ils lui avaient manqué.

Ce sentiment la fait immédiatement repartir en Corse, quinze jours plus tôt…

Dans la voiture qui les ramène chez eux, Zoé bombarde ses parents de questions, tout en jouant avec Tim, sanglé dans son siège auto.

– Vous savez si mes copines du village sont là ? Et il y aura des gens à la maison pour Noël ? Aïe !

La petite rousse retire précipitamment sa main de la bouche de son frère.

– Mais t'es cannibale, Tim !

Puis, après avoir repris son souffle, Zoé s'écrie :

– Au fait, qu'est-ce qu'il mange maintenant ? Des purées ? D'ailleurs, Anaïs, tu as déjà pensé à faire un tableau en purée ?

Sa mère est peintre et toujours à la recherche de nouveaux matériaux pour ses toiles monumentales. Elle jette un coup d'œil dans le rétroviseur et sourit à Zoé.

– Tu nous as manqué ! s'exclame-t-elle.

– On ne se rend pas vraiment compte du silence qui règne ici, quand notre pipelette préférée n'est pas là, ajoute son père en se tournant vers la petite rousse, moqueur.

Zoé lui tire la langue, puis l'interroge :

– Et toi, Antoine, tu as terminé ton roman sur les pirates ?

– Sur les corsaires, ma pustule. Rien à voir !

Zoé ouvre la bouche pour protester – son père se spécialise dans les romans historiques, et il est toujours très à cheval sur les détails –, mais elle n'a pas le temps de râler : elle reçoit le livre de son petit frère en plein dans le nez.

– Aïe ! Ça fait mal, gros malin ! peste-t-elle en faisant les gros yeux.

Tim éclate d'un rire sonore, auquel Zoé est bien incapable de résister. Elle fait une grimace, qui déclenche un nouvel éclat de rire.

Son père met la radio, et aussitôt sa mère commence à chanter au volant. C'est irrésistible pour Zoé, qui se joint à elle. Bientôt, les cris aigus de Tim résonnent dans la voiture.

– Oh non! gémit Antoine. Un chanteur de plus dans cette famille…

La petite rousse éclate de rire. « C'est tellement bon d'être à la maison ! » se dit-elle en voyant la vieille ferme rénovée par ses parents apparaître au bout du chemin.

Zoé est brusquement rappelée au présent par la main de Maïna qui se pose sur son épaule.

– C'est pas la forme, hein, murmure cette dernière, avec un air préoccupé.

– Ça va aller ! tente de la rassurer la petite rousse. C'est juste le blues de la rentrée.

À 9 ans, Zoé est la plus jeune élève de l'École. Alors être loin de sa famille,

certains soirs, c'est un peu trop dur…
La jeune danseuse détourne la tête pour
que Maïna ne voie pas les larmes qui
menacent.

Par chance, c'est le moment que choisit
Constance, la troisième occupante de la
chambre, et aussi la plus sérieuse, pour
faire son entrée. Zoé lui saute dans les
bras, et elle n'a pas à se forcer pour sourire. Une des choses les plus sympas à
l'École, c'est de vivre avec ses amies…
Aussi, pour ce soir, elle décide de ne plus
penser aux difficultés du retour et de profiter des retrouvailles !

Le lendemain, lundi, c'est la rentrée
officielle. L'emploi du temps des petits rats

est chargé, comme toujours. Le matin, les cours commencent à 8 heures précises.

– Autant dire le milieu de la nuit ! adore répéter Zoé.

En plus d'être une lève-tard, la jeune danseuse a beaucoup de mal à respecter un horaire. Elle est toujours en retard, soit parce qu'elle a une nouvelle idée en route, soit parce qu'elle a un mal fou à arrêter son activité en cours.

Ce matin, par exemple, Zoé est enroulée dans un grand drap de bain bleu, encore dégoulinante de sa douche, et assise à son bureau. Avec application, elle tente de terminer le collage qu'elle a commencé la veille : une photo de la bande, sur laquelle elle ajoute patiemment des costumes. Certains viennent de magazines, d'autres sont fabriqués directement par la petite rousse avec des brins de laine ou des bouts de tissus.

— Regarde la dentelle que m'a donnée ma mère ! dit Zoé à Maïna, qui passe une tête dans son box pour voir où elle en est. Ça fait un tutu parfait !

— T'es pas encore habillée ! s'écrie son amie en écarquillant les yeux. Dépêche ! J'ai envie de manger, moi !

Zoé lâche son œuvre à regret et saute dans le premier jean qu'elle trouve.

— J'arrive, j'arrive !

Quelques minutes plus tard, Maïna guide la petite rousse dans le couloir pendant que cette dernière enfile son pull. Puis elles courent toutes les deux jusqu'à la cantine pour avaler leur petit déjeuner en quatrième vitesse, avant de filer jusqu'au bâtiment dédié à la scolarité.

Les deux filles s'arrêtent devant la classe des CM2 et Maïna tend un mouchoir à Zoé.

– Tiens, essuie ta moustache de chocolat, lui dit-elle. Et essaie de ne pas énerver Mme Lepage dès le premier jour, OK ?

Puis elle part rejoindre la classe des sixièmes, deux portes plus loin. Elle va y retrouver Constance, qui arrive toujours en avance, mais aussi Bilal, l'externe de la bande.

En entrant dans la salle Zoé, elle, aperçoit les deux derniers membres de leur petit groupe : Colas et Sofia. Mais elle n'est pas pressée pour autant d'aller s'asseoir.

La scolarité ne l'intéresse que moyennement. Le français, passe encore, les maths, quelle horreur ! La seule activité qui plaise à la petite rousse, c'est le dessin.

Et comme elle s'ennuie en cours, elle a

des «problèmes de discipline». C'est ce qu'a inscrit sa maîtresse sur le bulletin que Zoé a fait signer à ses parents pendant les vacances.

– "Zoé doit améliorer son comportement", avait lu sa mère à voix haute dans le salon, avant de lui lancer un regard interrogateur.

La petite rousse avait haussé les épaules.

– J'ai dessiné en cours, je suis arrivée en retard deux ou trois fois…

– Ou un peu plus, l'avait interrompue sa mère.

– Peut-être, avait répondu Zoé avec un sourire penaud. J'ai fait deux ou trois blagues… Mais le règlement est tellement strict à l'École!

Sa mère avait signé, puis avait doucement déclaré :

– Tu es grande, tu sais ce qui risque de se passer si tu ne respectes pas le cadre… C'est à toi de voir, ma chérie.

À présent, alors que ses camarades se penchent sur leur exercice de grammaire, Zoé repense à ses grasses matinées à la ferme et elle a soudain envie de crier : «Mais je suis encore un bébé, moi!»

Après le déjeuner arrive enfin le moment que Zoé attendait : le cours de danse classique ! À l'École, comme dans tous les cours du monde, on commence par des exercices à la barre. Plier, relever, lever le menton, garder le dos droit, baisser les épaules, se détourner et tout recommencer de l'autre côté.

Zoé connaît tout ça comme les lettres de l'alphabet, ses gestes s'enchaînent sans qu'elle ait besoin d'y penser. Elle est chez elle. Depuis ses premiers cours de danse, la petite rousse a toujours eu des facilités, comme dans tous les domaines artistiques, d'ailleurs. Ses mouvements étaient justes, ses doigts, bien placés… Elle s'est rapidement découvert une grande capacité d'imitation des Étoiles qu'elle admirait depuis toujours. Résultat, ses profs de danse l'ont félicitée… et elle a persévéré. Elle qui n'a jamais aimé travailler à l'école l'a toujours fait sans vraiment s'en rendre compte pour la danse. «Dans la vie, si tu fais ce qui te plaît vraiment, tu n'auras jamais l'impression de travailler», lui a souvent dit Antoine.

Lors de son admission à l'École, pourtant, les choses ont changé. Jusque-là, Zoé avait l'impression d'avoir un talent unique, d'être la meilleure. Mais depuis qu'elle a vu ses camarades danser, elle a compris qu'il existait d'autres jeunes filles comme elle. De nombreuses autres, même.

Le passage au milieu est une distraction bienvenue. Aujourd'hui, Mlle Hetter les fait s'exercer au pas de bourrée. Zoé se concentre sur les mouvements de démonstration de leur professeur pour bien les mémoriser. À l'École, les sixièmes divisions perfectionnent les bases ; Zoé sait qu'il est important que son placement soit parfait, qu'elle soit bien en dehors, qu'elle soit précise. Il ne s'agit pas seulement de faire le mouvement, il s'agit de le faire correctement !

Après avoir marqué sur le côté, c'est au tour de Zoé de se lancer.

– Pas mal du tout ! la félicite Mlle Hetter.
C'est propre.

La petite rousse a un sourire ravi.

Rouge et en sueur après une heure et
demie de cours, Zoé rejoint Constance,
Maïna et Sofia dans un coin de la salle de
danse, pour boire un peu d'eau avant
d'enfiler son survêtement.

– Ça fait du bien, la reprise, pas vrai ?
demande Maïna, rayonnante.

– J'ai l'impression d'être un robot,
soupire Sofia l'Italienne en se frottant
le mollet. J'aurais dû manger moins
de pâtes à la maison et danser un peu plus
pendant les vacances !

– Flash spécial ! s'écrie Zoé, sur un ton

de présentatrice télé. Après deux semaines à engloutir du foie gras et de la bûche, les ballerines se sont inexplicablement changées en éléphants de mer. Réussiront-elles à reprendre leur apparence normale ou seront-elles condamnées à errer sur la banquise pour l'éternité ?

– Trop sympa, merci, bougonne Constance en levant les yeux au ciel.

Les deux autres rient pendant que Zoé se lance dans une imitation du cri de l'otarie qui finit même par dérider Constance.

La bonne humeur de Zoé persiste jusqu'à la fin de l'après-midi. Et les six amis sont si contents de se retrouver après deux semaines de séparation qu'ils décident d'organiser sans attendre leur partie d'action ou vérité hebdomadaire. C'est une tradition à laquelle ils ne dérogent jamais. C'est bien sûr une idée de Zoé.

– J'annonce : pas d'action pour moi, lance Colas en s'asseyant dans la chambre des filles. Après le décrassage du jour, j'ai eu ma dose.

Le petit blond est un garçon mystérieux, qui ne se confie pas facilement. Son visage aux traits fins en fait la coqueluche des filles de sixième division. Zoé, elle, sait surtout que le danseur aime les blagues – presque autant qu'elle.

– M'étonne pas de toi, crevette, rétorque aussi sec Bilal, son meilleur ami. Je veux bien commencer, moi ! Vas-y, Zoé, envoie une action !

Le grand brun aux yeux sombres est lui aussi doté d'un sens de l'humour à toute épreuve. Ces trois-là choisissent systématiquement les gages, plutôt que les vérités. Et ce sont aussi eux qui ont toujours des idées de jeux… ou de bêtises !

– Hum… Je propose que tu fasses une petite chorégraphie dans le parc avec mon tutu rose et mon diadème ! annonce la petite rousse.

– Tenu ! crâne Bilal en se levant.

Les trois autres filles sont plus sérieuses… ou plus mûres, selon le point de vue ! Heureusement pour leurs bulletins et leur avenir à l'École !

– Il fait super froid dehors, Zoé, fait remarquer Maïna. Bilal va tomber malade… Je ne crois pas que ce soit une bonne idée.

La jeune danseuse est toujours aussi attentive à ses amis. Pour être bien, elle a besoin d'aider et d'entourer les autres. Ce qui en fait une amie idéale pour Zoé, qui adore qu'on s'occupe d'elle !

– Tu as raison, reconnaît cette dernière, avec une moue déçue.

Puis elle sourit. Elle vient d'avoir une nouvelle idée !

– Dans ce cas, on garde la tenue, mais on change le lieu ! Bilal, tu vas faire le tour complet de l'étage des grands… Et avec le maintien digne d'une danseuse Étoile, bien entendu !

– Le pauvre…, souffle Sofia en ouvrant des yeux effrayés.

La jeune Italienne est timide : pour elle,

ce type de gage serait la fin du monde!
Mais Bilal n'a pas ce genre de réticences.
Il enfile le tutu par-dessus son sweat à
capuche, le remonte jusque sous les aisselles
et dépose le diadème de travers sur sa
masse de cheveux noirs. Puis il fait une
révérence et toute la bande s'engouffre
dans le couloir.

La procession commence, derrière un
Bilal très fier de saluer les élèves surpris
en agitant la main comme une princesse.
Les six amis sont arrivés à l'étage des
grands, quand un rire que Zoé connaît
bien retentit dans son dos.

– Qu'est-ce que tu as encore fait, diablo-
tin?

Zoé se retourne, sourit à pleines dents et
se précipite sur le garçon qui vient de
parler.

– Roméo ! crie-t-elle en lui sautant dans les bras.

Le grand brun la soulève dans les airs, comme si elle était aussi légère qu'une plume. Âgé de 17 ans et élève de première division, c'est le Petit Père de la danseuse. À l'École, c'est comme ça qu'on appelle les élèves que les plus jeunes se choisissent pour parrain ou marraine. Ils rassurent, conseillent et guident… Bref, ils aident à vivre plus sereinement loin de chez soi ! Et Zoé a trouvé en Roméo un complice et un allié efficace pour ses inventions les plus folles.

– C'est ton idée, ça, non ? demande-t-il en désignant Bilal de la tête.

Zoé acquiesce, l'air malicieux, puis explique :

– Je me suis dit qu'il fallait égayer un peu la rentrée !

– T'as raison, p'tite tête ! Y'en a marre des moutons bien sages !

Roméo fait souvent des réflexions de ce genre ; elles mettent Zoé un peu mal à l'aise. « Parfois, j'ai l'impression qu'il est en colère contre l'École », pense-t-elle. Pourtant, si le garçon ne se sentait pas bien, il pourrait tout à fait partir…

– Bon, j'y retourne ! s'exclame-t-elle avant de s'éloigner pour rejoindre la bande.

« Je comprendrai peut-être quand je serai plus grande », songe-t-elle en pressant le pas. Pour l'instant, ce qui l'intéresse, c'est d'avoir quelqu'un avec qui partager son refus de tout prendre trop au sérieux. « C'est pas parce qu'on est des petits rats qu'on n'a pas le droit de s'amuser un peu!» ne cesse-t-elle de répéter.

Et quand Zoé voit les visages réjouis de ses amis et des spectateurs de leur petit défilé, elle se dit que ça vaut bien quelques points en moins sur sa note de conduite!

– **Vous savez pourquoi** on est convoqués ? interroge Sofia, alors que la bande quitte la cantine.

Les six amis se dirigent vers la salle de spectacle de l'École, située au sous-sol du bâtiment de la danse. C'est là qu'ils sont attendus pour une mystérieuse annonce…

– Aucune idée, répond Colas. En tout cas, Frantz n'est au courant de rien…

Le grand frère du garçon est en deuxième

division, et dispose donc souvent d'informations sur les us et coutumes de l'École.

— Je suis sûre que ce sera une bonne nouvelle, ajoute Maïna. Pour fêter la rentrée !

— Peut-être même qu'on va tous danser le ballet des Bisounours ! se moque gentiment Zoé.

Bilal, qui marche à côté d'elle, renchérit :

— Ou alors, c'est toi qui as fait une bêtise si grosse qu'ils ont décidé de fermer l'École.

— Ça, c'est crédible, approuve Constance avec un sourire en coin.

— Hé ! proteste la petite rousse en se retournant pour faire une grimace à son amie. Je suis sage comme une image, je te signale.

— Ouais, une vraie petite fille modèle, chuchote Bilal, alors que le groupe passe la porte de la grande salle.

La bande va vite rejoindre les autres élèves de sixième et cinquième division installés aux premiers rangs.

Quelques minutes plus tard, Mlle Pita, la directrice de l'École, apparaît sur scène, escortée par Mlle Hetter et M. Borel, les profs de danse classique des filles et des garçons, mais aussi de Mlle Bacci, chargée d'enseigner la danse de caractère.

— J'espère que vous avez passé de belles fêtes, commence la directrice, et que vous êtes en pleine forme pour attaquer la nouvelle année !

— Ça sent le coup fourré à plein nez, chuchote Zoé à Bilal.

– Nous avons une agréable nouvelle pour vous, poursuit Mlle Pita. Comme vous le savez, *Paquita* est programmé à l'Opéra Garnier. Il y a seize rôles d'enfants à pourvoir.

Aussitôt, des murmures s'élèvent Après avoir rétabli le silence, les trois professeurs de danse expliquent ensemble qu'il n'y aura pas d'auditions spécifiques.

– En revanche, lance la voix puissante de M. Borel, pendant la semaine à venir, vous serez observés de près.

– Vous avez donc tout intérêt à reprendre sur les chapeaux de roue, ajoute Mlle Hetter.

Mlle Pita conclut la réunion en expliquant que, le mardi suivant, elle sélectionnera les élèves en tenant compte des préconisations de leurs professeurs. Comme d'habitude, le nom des heureux élus sera affiché au premier étage du bâtiment de la danse…

Les élèves quittent la salle dans un brouhaha général. Tout le monde est surexcité par cette annonce !

– Seize rôles ! s'écrie Zoé. Vous savez ce que ça veut dire ?!

– Qu'on pourrait tous être choisis, comprend aussitôt Maïna.

– La bande au complet ! souffle Sofia, des étoiles plein les yeux.

– Vous imaginez, s'il y en a un qui n'est pas pris ? se désole Colas. Ce serait horrible !

– Tu as peur, crevette ? lance Bilal en poussant le petit blond.

– Peur pour toi, oui ! rétorque Colas.

Les six élèves s'arrêtent dans le hall baigné de lumière pour discuter quelques minutes avant de se séparer.

– Qu'est-ce que tu en penses, Constance ? demande Zoé.

– J'adore *Paquita*, répond la brune. J'ai toujours rêvé de danser ce ballet…

– Non, mais ça on s'en doute, la coupe la petite rousse. Mais tu crois qu'on a une chance d'être sélectionnés tous les six ?

– Je pense que ce sera surtout difficile pour nous, les filles. Mlle Pita va choisir huit couples pour la danse des enfants : huit filles et huit garçons sur les sixième et cinquième divisions.

– Je n'avais pas pensé à ça, murmure Sofia, qui semble soudain découragée.

– Bon, on ne va pas se torturer, tranche joyeusement Maïna. Si on est pris, tant mieux, sinon, tant pis. Ce n'est pas un ballet qui va nous séparer !

La semaine se poursuit donc dans une atmosphère particulière, un mélange d'excitation et de stress. Chaque élève réagit à sa façon. La plupart redoublent d'efforts, travaillant leurs pas dans le parc, dans les couloirs, à la cantine : toutes les occasions sont bonnes ! Constance est évidemment la plus digne représentante de ce courant. Et comme elle partage la chambre de Zoé, la petite rousse l'a sous le nez vingt-quatre heures sur vingt-quatre.

— Elle m'énerve ! finit-elle par souffler à Maïna, le jeudi soir, alors que Constance

est dans la salle de bains. Chaque fois qu'il y a un enjeu, c'est pareil : on ne la voit plus. C'est comme si rien d'autre ne comptait !

– C'est parce qu'elle est stressée, tempère Maïna. Elle veut donner le meilleur d'elle-même.

– Mais c'est déjà la meilleure ! Et puis, c'est pas parce qu'il y a un événement qu'il faut nous laisser tomber.

– Mais elle ne nous laisse pas tomber, rectifie Maïna, qui aimerait que ses amies ne soient jamais en désaccord.

– Tu vois ce que je veux dire, soupire Zoé. Elle ne rigole plus avec nous, elle bosse tout le temps. Elle prend ça super au sérieux.

Ce qui motive Zoé, c'est le plaisir. Le plaisir de danser, bien sûr, mais plus largement le plaisir de créer. Dessiner, peindre, découper, coller, coudre… Et il y a aussi tous les petits plaisirs du quotidien. Manger un bon repas, faire la sieste au soleil, lire un chouette livre, rire avec ses amis. « C'est ça, la vraie vie ! se dit-elle. S'amuser, voir les choses du bon côté, et faire ce qu'on aime. »

– Tu sais, pour la majorité des élèves de l'École, les spectacles, les examens et tout ça… c'est sérieux.

– Moi aussi, j'adore être ici et j'ai envie de rester ! proteste Zoé. Mais je ne vois pas pourquoi on devrait tous faire des têtes d'enterrement ou refuser de rigoler deux secondes !

Maïna semble hésiter à lui répondre. Enfin, elle lâche, l'air gêné :

– C'est peut-être plus facile d'être détendue quand on a des facilités…

Zoé ne répond pas. Elle est bien consciente d'être entrée particulièrement jeune à l'École. Si elle a 9 ans aujourd'hui, elle en avait 8 lors des auditions. Le minimum pour se présenter. Et elle le sait : il est rare d'être accepté à cet âge-là. La petite rousse a donc dû faire forte impression sur le jury… « Est-ce que mes amies m'envient ? » se demande-t-elle soudain.

Le lendemain matin, dernier jour de la semaine, Zoé est fatiguée. Elle n'a aucune envie de suivre le cours d'histoire de Mme Lepage sur la Révolution française. Mais quand la maîtresse leur montre une caricature représentant le tiers-état portant le clergé et la noblesse, cela lui donne une idée… Voilà un domaine qui l'intéresse ! Ce n'est pas si simple de réaliser une bonne caricature. Il faut trouver les traits les plus marquants de la personne qu'on veut représenter, afin qu'on puisse l'identifier en un clin d'œil. Et, bien sûr, il faut que ce soit drôle !

Par qui commencer ? « À l'École, la reine, c'est Mlle Pita », songe Zoé. Elle s'applique donc à dessiner une caricature de la directrice. Un quart d'heure plus tard, satisfaite du résultat, elle la pousse sous le nez de Colas, son voisin.

– Trop fort ! souffle-t-il, en retenant un rire. On la reconnaît tout de suite !

– Fais passer ! lui chuchote la petite rousse, fière d'avoir réussi son coup.

Puis elle observe le visage de ses camarades qui découvrent son dessin. Faire
rire, Zoé adore ça. C'est une seconde
nature, elle ne se souvient même plus
comment ni pourquoi elle a pris cette
habitude. Mais elle a toujours été le petit
clown de ses parents…

– Théo! interpelle soudain la maîtresse.
Donne-moi ça!

Le garçon s'exécute, l'air penaud, et
tend la caricature à Mme Lepage.

La maîtresse jette un œil au dessin,
puis le met à la poubelle, avant de
reprendre :

– Puisque vous ne semblez pas
très concentrés sur ce chapitre, pré-
parez-vous à un contrôle la semaine
prochaine!

Les élèves protestent bruyamment,

pourtant la maîtresse reste inflexible. Zoé craint un moment d'être dénoncée, mais Mme Lepage reprend déjà son cours.

La petite rousse soupire de soulagement… et commence aussitôt une nouvelle caricature ! Elle vient d'avoir une meilleure idée : dessiner Mme Lepage elle-même. « Comme ça, se réjouit-elle, j'ai le modèle sous les yeux. »

Une fois son dessin terminé, elle regarde autour d'elle, hésitante. « Je le fais passer ou pas ? » s'interroge-t-elle. D'un côté, les autres lui en veulent déjà pour le contrôle… D'un autre côté, puisque tout le monde en veut aussi à la maîtresse, ça pourrait faire rire et détendre l'atmosphère.

Cédant à l'envie d'amuser ses voisins,

Zoé tend la feuille à Rose, assise à sa droite.

La petite rousse en est sûre : le portrait déformé de la maîtresse va avoir beaucoup de succès !

– Zoé ! tonne la voix de Mme Lepage. Qu'est-ce que c'est que ça ?

Visiblement, la petite rousse n'a pas été assez discrète...

Impossible de nier, elle a encore la feuille dans la main. Zoé est seule, tous les regards braqués sur elle. «Je ne peux pas montrer sa caricature à Mme Lepage !» se dit-elle. Dans la panique, elle ne voit qu'une solution : elle froisse le morceau de papier... et le fourre dans sa bouche !

Elle entend immédiatement quelques exclamations, puis des rires. Après avoir

mâché rapidement, elle avale la bou-
lette.

Mme Lepage, elle, n'a pas l'air de
trouver ça drôle. Les poings sur les
hanches, elle l'interroge :

– Encore un dessin ? C'est à toi qu'on
doit l'œuvre que j'ai vue tout à l'heure,
c'est ça, Zoé ?

Comme un lapin pris dans les phares
d'une voiture, la petite rousse n'ose
même pas bouger un cil.

La maîtresse reprend donc :

– Je vais demander à Séraphin de te
mettre deux réprimandes. La première,
pour ne pas t'être dénoncée tout à
l'heure, et avoir laissé la classe recevoir
une punition collective. Et la deuxième,
pour le dessin que tu viens d'avaler.

Zoé baisse la tête, en se mordant les

lèvres pour ne pas répondre. Séraphin, c'est le Surveillant Général de l'École, et il n'y a aucune chance qu'il adoucisse la sanction. «C'est quand même pas un crime de dessiner, pourtant! se dit-elle. Ça n'empêche même pas d'écouter le cours! C'est vraiment pas sympa…»

Dans son ancienne école, au village, ça ne se serait jamais passé comme ça. Il n'y avait qu'une classe, regroupant des élèves du CP au CM2, et le vieux maître préférait toujours la discussion aux punitions.

– Deux réprimandes le deuxième jour du trimestre, c'est dur…, lui souffle Colas avec une moue embêtée.

Selon le règlement de l'École, trois réprimandes valent un point en moins sur la note de discipline. Et les dix points prévus au début du trimestre peuvent vite disparaître… Zoé garde le silence. Hors de question de recevoir une troisième réprimande pour bavardage !

À **l'École,** les élèves dont les parents n'habitent pas en région parisienne ont une famille d'accueil. Son rôle est de recevoir les petits rats pendant le week-end. Le trajet entre Nanterre, où se situe l'École, et la Corse est trop long pour que Zoé puisse y retourner chaque semaine. Elle passe donc les samedis et les dimanches chez un couple sans enfants, M. et Mme Lemaire. Au début, ça a été un peu difficile des deux côtés.

Le couple ne s'attendait pas à recevoir une petite fille aussi turbulente, et Zoé n'imaginait pas devoir respecter autant de règles… Mais peu à peu, ils se sont apprivoisés. À présent, la petite rousse se rend chez eux avec plaisir.

Et ce week-end-là, elle en oublie même l'École et cette histoire de sélection.

Quand le mardi, jour de l'affichage des élèves choisis, arrive, elle se rend compte qu'elle n'a même pas tellement eu le temps de stresser.

– J'ai les jambes qui tremblent, souffle Sofia en traversant le grand hall du bâtiment de la danse.

À côté d'elle, Colas n'a pas l'air beaucoup plus détendu, mais, comme à son habitude, il préfère garder le silence.

– C'est quand même pas terrible,

Paquita, comme prénom, non ? déclare Zoé en faisant la grimace.

– Tu trouves ? s'étonne Sofia, avec une moue.

Les trois élèves de primaire retrouvent le reste de la bande au pied du grand escalier. Zoé en profite pour insister :

– Qu'est-ce que tu en penses, Maïna ? Paquita, c'est super moche, hein ?

La jeune danseuse sourit.

– C'est sûr que je préférerais m'appeler Coppélia ! approuve-t-elle, tandis que tous grimpent les marches.

– Ça vous dit pas d'accélérer un peu ? souffle Bilal, deux marches plus haut. J'ai envie de savoir, moi !

Enfin, les six amis arrivent devant le panneau d'affichage. La feuille blanche est là. Zoé se fraye un chemin parmi

les élèves pour se planter juste devant.
Elle écarquille les yeux.

Élèves sélectionnés pour Paquita

En sixième division :
*Constance * Jonathan*
*Zoé * Colas*
*Sofia * Lucas*
*Maïna * Bilal*

En cinquième division :
*Jade * Gautier*
*Inès * Thomas*
*Sarah * Raphaël*
*Iris * Malik*

Remplaçants :
*Maelys * Malo / Axel * Kelly*

Elle se retourne pour regarder ses amis : tous sont bouche bée. Ils en avaient bien rêvé, mais de là à penser que leur rêve deviendrait réalité…

Zoé est la première à retrouver ses esprits. Elle bondit dans les bras de Bilal, qui la fait tourbillonner joyeusement.

– On a réussi ! s'écrie la petite rousse en riant.

– Je n'en reviens pas, souffle Maïna, les yeux brillants.

Une fois que le grand brun l'a reposée par terre, Zoé se tourne vers Colas et exécute une révérence.

– M'accorderez-vous cette danse, jeune homme ?

Et tous les deux se lancent dans une valse improvisée sur le palier.

– Je ne veux pas jouer les rabat-joie,

intervient Constance, mais si on veut pouvoir manger, il vaut mieux qu'on aille se changer vite fait…

Zoé hoche la tête, avant d'ajouter :

– Je vous préviens, ce soir, après les cours, on fait la fête !

Et Zoé n'a pas menti en promettant un bon moment à la bande. Elle les a convoqués dans sa chambre, où elle a rassemblé tous les déguisements qu'elle a pu trouver : les siens, nombreux, mais aussi tous ceux qu'elle a récoltés à l'étage !

– Première étape, annonce fièrement la petite rousse : la transformation !

Elle brandit le déguisement qu'elle a

choisi pour elle : une combinaison blanche avec de larges taches noires.

— *Meuuuuuuuuh!* fait-elle en enfilant sa tenue de vache, avant d'éclater de rire.

Face à elle, ses amis se changent en pirate, licorne, Fée Clochette, dinosaure et… Dark Vador!

Zoé prend son ordinateur portable et leur montre ce qu'elle a prévu : un karaoké! Évidemment, les cris, les fausses notes et les fous rires de la bande attirent rapidement les autres élèves de l'étage. Bientôt, la petite chambre a du mal à contenir tout le monde…

Qu'à cela ne tienne, Zoé ne va pas laisser ce détail gâcher sa fête!

— Danse de la joie! hurle-t-elle pour couvrir le brouhaha ambiant.

La petite rousse prend alors la tête d'un

défilé de carnaval improvisé dans les couloirs de l'internat. Elle donne le tempo en imaginant des mouvements que tous imitent derrière elle. Le résultat est une joyeuse pagaille qui envahit les étages supérieurs, où ce défilé de petits recueille des applaudissements amusés.

Un quart d'heure plus tard, de retour à leur étage, la bande est accueillie par Youssef, un des surveillants de nuit.

– C'est bon, les enfants, la fête est finie ! déclare-t-il. Bilal, il est temps de rentrer chez toi… Et les autres, allez vous changer, c'est bientôt l'heure du dîner. Hop, hop, hop !

Quelques instants plus tard, Zoé s'écroule sur son lit, encore dans son costume. Un immense sourire aux lèvres, elle déclare :

– On a la vie la plus géniale du monde, les filles !

Après cette soirée de folie douce, le travail reprend ses droits à l'École. En plus de la scolarité du matin et des cours de danse de l'après-midi, la bande doit à présent participer aux répétitions de *Paquita* en fin d'après-midi.

– Je n'en peux plus, grogne Bilal un mercredi soir.

Cela fait quinze jours que les corps sont soumis à rude épreuve, et le ras-le-bol menace.

Les petits rats profitent de chaque instant de répit pour travailler leur chorégraphie, encore et encore.

Zoé, elle, reste fidèle à sa philosophie : d'accord pour travailler dur, mais dans la bonne humeur !

Le lendemain jeudi, pendant les moments de pause, elle s'amuse à raconter des blagues ou imiter leurs profs.

– Il faut que tu arrêtes de me faire des grimaces pendant qu'on danse, soupire Colas, en s'essuyant le front à la fin de la répétition. Ça me déconcentre.

– Ça déconcentre tout le monde ! renchérit Lucas, d'un ton plus énervé. Tout à l'heure, Sofia t'a regardée, résultat : elle m'a marché sur le pied !

– Je suis vraiment désolée, souffle la jeune Italienne en rougissant. Je ferai plus attention la prochaine fois, promis.

Zoé lève les yeux au ciel.

– Vous ne devriez pas vous laisser

déconcentrer pour si peu, remarque-t-elle. Imaginez, la jour de la première, quelqu'un se met à tousser pendant dix minutes? Ou un portable qui sonne! Vous n'allez pas vous arrêter de danser, non?

Jonathan, interrompant sa conversation avec Constance, intervient :

– Écoute, ce que tes amis essaient de te dire gentiment, c'est que tu nous déranges. Les répétitions, c'est pas un moment pour rigoler. Si tu n'as pas envie de participer, Maelys sera ravie de te remplacer!

Vexée, Zoé jette un coup d'œil au reste de la bande. « Ils vont dire quelque chose, c'est sûr! » pense-t-elle. Mais personne ne parle.

– OK, j'ai compris! s'exclame la petite

rousse en ramassant ses affaires. Je vous laisse tranquilles !

Et elle quitte la salle, furieuse. Au lieu de retourner dans sa chambre, elle se dirige vers l'étage de Roméo. Une chose est sûre : son Petit Père ne lui fera pas la morale. « Il me comprend, lui. »

Si, le vendredi, Zoé a ostensiblement boudé ses amis, après un week-end, la brouille semble oubliée. De toute façon, les élèves n'ont ni assez de temps ni d'énergie à consacrer aux reproches : la fameuse répétition à l'Opéra Garnier a lieu aujourd'hui, mardi.

Dans le vestiaire des filles, Lay-Chan, l'assistante chargée des costumes à l'École, vient d'arriver en poussant un portant devant elle.

– C'est pour nous ! s'écrie Zoé, les yeux brillants.

Maïna bat des mains à côté d'elle, tout aussi ravie. La semaine précédente, Lay-Chan a pris leurs mesures, mais c'est la première fois qu'elles vont enfiler leurs tenues !

– Passez vos robes dans le calme, et venez me voir ensuite, que je vérifie l'ajustement, d'accord ?

Zoé, trop pressée de se transformer, écoute à peine Lay-Chan. Elle saisit la tenue à son nom sur le portant. Elle est loin d'être aussi luxueuse que les tutus richement brodés que porteront une partie des danseuses du Corps de ballet, mais Zoé la trouve déjà magnifique. Elle aime tellement se déguiser, mettre un costume pour devenir quelqu'un d'autre !

Elle enfile la large jupe blanche, ajuste les longues manches de son corsage blanc, rehaussé par un plastron rouge et doré, puis elle interpelle Maïna :

— Alors, comment tu me trouves ?

— Horrible ! s'exclame Maïna avec un sourire malicieux.

Zoé lui tire la langue avant de poser sur son chignon le petit chapeau rouge et doré qui complète sa tenue. Elle file ensuite devant la glace pour le fixer avec des épingles à chignon. Puis elle s'admire, aux anges.

— Ça te va super bien ! remarque Sofia, qui sort son portable pour la prendre en photo.

Les quatre danseuses font tourner leurs jupes en riant, avant d'aller chacune à son tour voir Lay-Chan.

Puis, déjà, il est temps de rejoindre le

foyer de la danse. Sitôt entrées, les filles repèrent Colas et Bilal.

– Vous êtes très chics ! s'exclame Maïna.

Zoé détaille les garçons de la tête aux pieds. Ils arborent une tenue assez semblable à celle des jeunes danseuses. Des collants blancs remplacent les jupes des filles, et leurs chemises blanches ont des manches bouffantes rehaussées de broderies dorées. Chez eux, le plastron recouvre presque entièrement le torse et ils portent en ceinture un foulard blanc et doré.

Colas fait une révérence, en ajoutant des grands moulinets de son petit chapeau rouge.

Zoé lui répond en tournoyant sur elle-même. Elle se sent pleine d'une énergie débordante, qui la pousse à sautiller dans tous les sens, puis à marcher à reculons.

Elle s'éloigne ainsi de ses amis… et finit par rentrer dans quelqu'un !

– Oups ! Pardon, désolée ! s'écrie-t-elle en se retournant.

Elle lève les yeux vers le visage du danseur qu'elle vient de heurter… et soudain, son cœur fait un bond dans sa poitrine.

Devant elle se tient Hugo Dinant, Étoile de l'Opéra de Paris. Son danseur préféré, son idole… qui lui aussi participe au ballet !

– Hugo Dinant, souffle-t-elle, incapable de formuler une phrase intelligible.

Elle se sent rougir de façon incontrôlable, tandis que le danseur lui sourit.

– Oui, c'est bien moi, répond-il. Et à qui ai-je l'honneur ?

– Zoé, élève en sixième division, murmure la petite rousse.

– Enchanté, Zoé, élève en sixième

division, répète Hugo. Je peux te donner un conseil ?

– Oui, bredouille la petite rousse.

– À l'avenir, regarde où tu mets les pieds, d'accord ? Les danseurs n'aiment pas trop qu'on marche sur les leurs…

– Vraiment désolée, dit Zoé en baissant la tête.

– Ne t'inquiète pas, c'est oublié, lui répond Hugo Dinant avec un grand sourire. Bonne répétition !

Déjà, le danseur Étoile s'éloigne.

Zoé voudrait tout raconter à ses amis, mais elle n'en a pas le temps : les élèves sont appelés en coulisses !

– Ça va bientôt être à nous ! chuchote Constance.

– J'ai le cœur qui bat à toute vitesse, murmure Sofia.

— Moi aussi, je suis super stressé ! ajoute Lucas, son partenaire.

Zoé, elle, ne ressent pas la même angoisse. Elle est encore émue par sa rencontre avec son idole. Elle pose un regard émerveillé sur la salle, la scène, sur les costumes colorés des danseurs présents…

Elle absorbe mille détails, sans bien réaliser encore que, dans quelques instants, elle sera sous le feu des projecteurs.

Enfin, c'est le moment de l'entrée en scène. Les élèves s'avancent sur le plancher en pente de l'Opéra Garnier.

Zoé sourit à Colas, très concentré face à elle. Les premières notes de la mélodie résonnent, et la chorégraphie commence. Mais, alors qu'elle leur semblait très longue lors des répétitions, cette fois, leur danse passe en un éclair. Déjà, Zoé salue, le souffle court.

Au moment où les élèves s'apprêtent à regagner les coulisses, M. Neboit, le Maître de ballet, les retient. Il interpelle Zoé :

– Fais attention, tu es trop souvent en décalage avec les autres, lui indique-t-il. Il faut que ce soit réglé pour la répétition de la semaine prochaine, ajoute-t-il en se tournant vers Mlle Bacci, elle aussi présente dans la salle pour assister à la répétition.

La prof de danse de caractère acquiesce, tandis que Zoé rougit comme une pivoine.

Un sentiment étrange commence à l'envahir. Un mélange de honte d'avoir été distinguée, corrigée devant tout le monde, et de colère, une colère irrépressible. Mais la boule qui s'est formée dans sa gorge ne veut pas disparaître. Elle aimerait bien pouvoir taper dans un punching-ball. Ou hurler aussi fort que ses poumons le lui permettent. Mais il n'en est pas question, bien entendu…

Le lendemain midi, Zoé ne s'est toujours pas remise de la répétition. Elle qui d'habitude bavarde en continu dans la file de la cantine garde un silence boudeur.

– Tu penses à ce que t'a dit M. Neboit hier ? lui demande Maïna. C'était une simple indication, rien de plus. Ça arrive à tout le monde…

Zoé serre les dents.

– Tu n'as pas vu les têtes de Jonathan

et Lucas quand on a quitté la scène ? marmonne-t-elle. Ils étaient contents !

— Tu ne crois pas qu'ils étaient juste heureux d'avoir dansé ? suggère doucement Maïna.

Mais Zoé a beau essayer de se calmer, elle bouillonne. La colère ne la quitte pas, impossible de s'en défaire.

Et quand elle prend place à table, quelques minutes plus tard, elle regarde son assiette avec indifférence. Elle n'a aucune envie de manger.

— Qu'est-ce qui t'arrive, Zoé ? l'interroge Constance. Tu adores les frites d'habitude…

— Non, mais laisse, si elle n'en veut pas, ça en fera plus pour moi ! rigole Bilal en tendant une main vers l'assiette de son amie pour prendre une frite.

– Moi aussi, j'ai faim, s'écrie Colas. Zoé, tu m'en donnes la moitié ?

Sans réfléchir, Zoé empoigne quelques frites et les lance sur Bilal, qui les reçoit en pleine poitrine.

– Hé ! proteste le grand brun avec un air faussement outré.

Il lui renvoie aussi sec un morceau de pain, qui atterrit sur le nez de la petite rousse.

Sans hésiter, Zoé balance trois autres frites vers Colas et des tomates cerises sur Bilal. Mais l'une d'elles tombe droit dans le bol de soupe de Sofia, assise à côté du grand brun, et projette une giclée du liquide vert sur son haut de survêtement !

Zoé sent un sourire étirer ses lèvres, l'adrénaline monte brusquement, et elle se retrouve à jeter tout le contenu de son plateau sur ses amis. À chaque aliment lancé, elle sent sa colère diminuer. Et bientôt, elle se met à rire. Sofia, Bilal et Colas lui renvoient coup pour coup, même Maïna a fini par expédier son pain. Seule Constance proteste, en tentant d'éviter de recevoir de la nourriture.

Évidemment, les rires et les cris ont alerté un surveillant. Marc surgit devant la table de la bande, stoppant net le geste de Zoé.

– Où est-ce que vous vous croyez? crie-t-il, furieux. Gâcher la nourriture! C'est inadmissible!

Zoé ne peut retenir un rire nerveux en découvrant l'état dans lequel sont ses amis : les joues rouges, décoiffés, les survêtements maculés de ketchup ou de traces de gras.

– Tu trouves ça drôle, Zoé? l'interpelle Marc.

La petite rousse baisse le nez.

– C'est pas super grave, non plus…, grommelle-t-elle dans sa barbe.

– Je ne suis pas sûr que Mlle Pita sera de cet avis, réplique Marc. J'imagine que c'est toi qui as lancé le mouvement ?

Résignée, Zoé s'apprête à ouvrir la bouche pour tout avouer, quand soudain, Maïna s'écrie :

– C'était nous tous ! Toute la table.

– C'est vrai, approuve Bilal.

– On est désolés, ajoute Sofia d'une petite voix.

Zoé jette un regard reconnaissant à ses amis.

– Très bien, je vais en informer la directrice. Et pour commencer, vous allez me nettoyer tout ça. Attendez-moi une minute.

Tandis que Marc s'éloigne, Zoé souffle :
– Merci, les gars. Vous êtes les meilleurs !

Pourtant, un quart d'heure plus tard, les regards que lui lance la bande ne sont pas franchement chaleureux… Les six élèves sont armés de gants, d'éponges, de serpillères, de seaux et de balais que Marc leur a apportés un peu plus tôt. Il en a profité pour leur expliquer qu'après le nettoyage ils étaient convoqués chez Mlle Pita. Et que leurs professeurs de danse étaient prévenus de ne pas les attendre en cours cet après-midi…

Depuis cette annonce, l'atmosphère est morose. Zoé éponge mollement une tache de ketchup en regardant ses amis. Elle se sent coupable : ils vont tous être punis parce qu'elle avait besoin de se défouler après la répétition d'hier…

Devant leurs visages tristes, elle ressent un besoin irrépressible de se faire pardonner. « Si je réussis à les faire rire, se dit-elle, la journée ne sera pas complètement gâchée… »

Alors elle jette un coup d'œil alentour, puis elle met une serpillère propre sur sa tête, attrape un balai et grimpe sur la table la plus proche. D'une voix forte, elle se lance dans une imitation de cantatrice :

– Ah ! Je ris de me voir si belle en ce mirôiiiir !

En temps normal, c'est le genre de pitreries qui amuseraient ses amis… ou qui déclencheraient au moins quelques sourires ! Mais pas cette fois !

— Hé, descends de cette table, je viens de la nettoyer ! lui crie Colas.

— Et puis je te signale qu'on ne sort pas tant que ce n'est pas terminé, alors tu ferais mieux de te dépêcher au lieu de faire n'importe quoi, ajoute Constance, visiblement très tendue.

— OK, OK ! lâche Zoé en se remettant au travail. Je voulais juste qu'on rigole un peu…

— Oh, hé, c'est quand même ta faute si on est là, alors tu pourrais éviter de la ramener ! lui lance Bilal.

Cette fois, c'en est trop pour Zoé.

— Je l'ai pas faite toute seule, la bataille de nourriture, hein ! crie-t-elle. Tu as participé, si je me souviens bien !

Bilal s'apprête à répliquer, mais Maïna pose une main sur son bras et déclare :

– Ça ne sert à rien de se disputer maintenant. Je pense qu'il vaut mieux ne pas se faire trop attendre par la directrice… Plus vite tout ça sera terminé, plus vite on pourra passer à autre chose. Alors, au boulot !

6

Quelques heures plus tard, en fin de journée, pour échapper à l'atmosphère pesante qui règne au sein de la bande, Zoé va chercher refuge auprès de Roméo, son Petit Père. Elle le trouve étendu sur un des canapés de son étage à l'internat, plongé dans un livre.

— Bah alors, gamine, qu'est-ce qui t'arrive ? lui demande-t-il en voyant sa mine renfrognée.

En soupirant, la petite rousse se laisse

tomber à côté de lui et se lance aussitôt dans le récit de sa convocation chez la directrice.

– Résultat, on a tous écopé d'un blâme. Cinq points en moins sur la note de conduite… Je te raconte pas la tête de Constance. J'ai cru qu'elle allait m'étrangler de ses propres mains.

Roméo éclate de rire.

– Tu sais, je n'ai jamais terminé un trimestre avec 10 en conduite. Mais je suis toujours là !

Zoé se mord la lèvre.

– C'est pas tellement la punition, le problème… C'est la réaction de mes amis. J'ai l'impression qu'ils m'en veulent. Pourtant, ils savent bien que ça a été dur pour moi, la répétition d'hier !

– C'est parce qu'ils veulent être de

parfaits petits moutons, bien obéissants! Ils ont peur, tes amis, c'est tout!

Zoé fronce les sourcils. Elle déteste qu'on critique la bande.

– Tu peux pas dire ça, ils ont été solidaires, quand même!

Roméo a un rire sec.

– Déjà, ne pas dénoncer une amie, c'est quand même la base… Mais si c'est pour te le reprocher après, à quoi ça sert?

Zoé ouvre la bouche, mais ne trouve rien à répondre. Elle ne peut pas contredire son Petit Père, elle pense la même chose…

– Tu sais ce qui va se passer si tu restes avec eux?

La petite rousse secoue la tête. Elle craint de ne pas aimer ce que Roméo s'apprête à dire. Il a ce regard froid et dur, qui l'effraie un peu.

– Ils feront de toi une poupée bien sage, et on te confondra avec toutes les autres filles de l'École. Bien alignées en rang d'oignons avec vos petits chignons !

– Et pourquoi tu es là, toi, si tu trouves ça si nul ?

Zoé a bondi sur ses pieds. Avant de partir, elle crie :

– Mes amis m'acceptent comme je suis ! Tu dis n'importe quoi !

La réponse amusée de Roméo lui parvient, alors qu'elle s'éloigne :

– Si ça te rassure de penser ça…

Une fois que la porte de l'escalier s'est refermée derrière elle, elle s'arrête. Elle est perdue. Elle se sent si seule, tout à coup. Elle voudrait que ses parents soient là pour la rassurer, pour la prendre dans leurs bras, pour lui caresser les cheveux, en lui disant doucement que tout se passera bien.

Zoé s'assied sur une marche froide et pose le menton sur ses genoux.

«C'est parce qu'il ne les connaît pas que Roméo dit ça!» se répète-t-elle. Ses amis l'aiment comme elle est. «Peut-être qu'ils en ont marre? se demande-t-elle soudain, alors que le minuteur de l'escalier s'éteint, la laissant seule dans l'obscurité. Peut-être que ça ne les fait plus rire?»

La petite rousse en est sûre : jamais elle ne tiendra à l'École sans ses amis à ses côtés. «Mais je ne peux pas devenir quelqu'un d'autre, songe-t-elle, désespérée. J'essaie juste de m'amuser.» Deux grosses larmes roulent sur ses joues.

Après une nuit difficile, jeudi matin, Zoé se réveille avec une idée. «Je vais prouver à Roméo qu'il a tort!» Et elle sait exactement quand et comment.

En fin d'après-midi, après les cours, la bande se réunit pour la session hebdomadaire d'action ou vérité.

– Je peux commencer? suggère la petite rousse, incapable de patienter plus longtemps.

– Qu'est-ce que tu mijotes encore? lui demande Colas.

Zoé fait de son mieux pour arborer un air innocent. Mais elle sait qu'ils la trouvent tous redoutable : elle adore les gages, ne recule devant rien pour exécuter ceux qu'on lui inflige et redouble sans cesse d'imagination pour en inventer de nouveaux.

Comme personne ne se porte volontaire, Maïna se dévoue.

– Tu peux y aller! annonce-t-elle, attendant la question rituelle.

– Action ou vérité? interroge aussitôt Zoé.

– Vérité, répond Maïna avec un sourire. Je ne suis pas maso au point de m'exposer à l'imagination débridée de Mlle Suricate!

C'est le surnom que la bande a choisi pour la petite rousse, car elle leur fait penser à ce petit animal du désert hyperactif, toujours le museau dressé pour fureter partout…

– Parfait! réplique Zoé, à la surprise générale. Ma question est : Est-ce que tu trouves que j'abuse?

Maïna plisse le front, perplexe.

– Comment ça ?

– Je sais pas moi, est-ce que tu trouves que je suis trop insolente ? Que je fais trop de trucs idiots ? Que je vous mets dans des situations impossibles ?

Les autres n'osent pas croiser le regard de Zoé. «Ils ont l'air trop gênés, réalise-t-elle. Parce que c'est vrai ? Ils en ont marre de moi ? »

– Tu dis ça pour ce qui s'est passé à la cantine ? interroge Maïna.

– Entre autres, reconnaît Zoé. Et pendant les répétitions…

– C'est vrai que, parfois, tu ne sais pas t'arrêter, avoue prudemment Maïna. Mais ça fait partie de toi, ajoute-t-elle aussitôt.

– Oui, enfin, il y a des jours où on a

l'impression que rien n'est sérieux pour toi ! ajoute Constance, comme si les mots de Maïna l'avaient encouragée à parler. On a manqué les cours de danse hier, on a eu un blâme… et ça t'a fait rire !

– Et puis, tu sais, certaines personnes ont besoin de travailler plus que toi, souffle Sofia.

– Mais je ne t'empêche pas de travailler ! s'écrie Zoé, d'une voix qui tremble un peu.

Sofia rougit et baisse la tête, sans oser répondre. Maïna se sent obligée d'expliquer :

– C'est juste que tu aimes faire des blagues… et ça peut blesser, les jours où on n'est pas au top de notre forme.

– Tu sais que j'aime bien rigoler,

commence Bilal. Mais pour moi, rester à l'École, c'est la chose la plus importante au monde. Je ne veux pas me faire virer pour une question de discipline.

– En fait, vous pensez que je vous tire vers le bas, c'est ça ? Vas-y, Colas, je t'en prie, n'hésite pas ! C'est ma fête aujourd'hui !

Le blond la regarde en secouant la tête.

– On s'inquiète pour toi. On a peur qu'un jour tu ailles trop loin… Que tu deviennes trop comme Roméo. Frantz dit qu'il est de plus en plus insolent et indiscipliné, et qu'il va avoir de très gros problèmes…

– Un jour, on ne pourra plus t'aider, termine Constance en plongeant son regard dans celui de Zoé.

– Ne vous inquiétez pas, lâche Zoé en se

levant pour quitter la chambre, je me débrouille très bien sans vous !

La petite rousse marche dans les couloirs de l'internat au hasard, sans trop savoir où elle va. Elle finit par prendre la direction de la chambre de son Petit Père. « Roméo a raison, se dit-elle. Ils rigolent, tant que mes bêtises ne leur causent pas de problèmes, mais au moindre risque pour eux, il n'y a plus personne ! Il est le seul qui me comprenne vraiment. »

Elle frappe à la porte de la chambre et attend un instant. C'est Gil, le meilleur ami de Roméo, qui lui ouvre. Il semble préoccupé.

– C'est la gamine, crie-t-il en tournant la tête. Je la laisse entrer ?

– Dis donc, tu te prends pour qui ? s'offusque Zoé. Tu fais le gorille maintenant ?

La voix de Roméo lui parvient depuis la salle de bains :

– Ouais, c'est bon !

Gil se penche vers elle et souffle, l'air crispé :

– C'est pas le jour à faire la maligne, je te préviens !

Zoé fait quelques pas dans la chambre, perplexe. «Gil n'est jamais comme ça, c'est bizarre», se dit-elle. Soudain, elle pousse un cri : Roméo vient de sortir de la salle de bains. Il a la lèvre inférieure ouverte et la pommette rougie.

– Qu'est-ce qui t'est arrivé ? s'écrie la petite rousse en ouvrant de grands yeux.

– Il s'est battu, cet imbécile ! marmonne Gil à côté d'elle.

– Qui est-ce qui t'a fait ça ? demande Zoé, outrée.

– Pourquoi, tu veux aller lui casser la gueule ? C'est pas la peine, gamine…

Même s'il prend son habituel ton moqueur et détaché, Zoé voit bien que le cœur n'y est pas.

– Archie s'est moqué de lui tout à l'heure, à la sortie des cours, explique Gil. Personne n'a compris pourquoi cet imbécile s'est jeté sur lui et lui a collé son poing dans la figure ! continue-t-il en désignant Roméo de la tête.

Gil soupire, avant de poursuivre :

– Cette fois, mon pote, j'ai peur que tu te fasses virer…

– Mais c'est dégueulasse ! s'écrie Zoé. Vous pourrez témoigner que c'est Archie qui a commencé, non ? Et puis, lui aussi, il l'a frappé !

Roméo secoue la tête.

— Non, il m'a juste repoussé… Je me suis fait ça en tombant. La loose jusqu'au bout, tu vois. Allez, file maintenant, ajoute-t-il. Je suis attendu chez Mlle Pita…

Zoé hoche la tête.

— Bon courage…, souffle-t-elle en refermant la porte.

La jeune danseuse est complètement perdue à présent. «C'est ça qui risque de m'arriver, alors?» se demande-t-elle. Bien sûr, elle ne frapperait jamais personne. Mais est-ce qu'elle s'en rendrait compte si elle dépassait les limites? C'est ce que ses amis ont tenté de lui expliquer, tout à l'heure, et elle ne les a pas écoutés…

Zoé se laisse glisser sur le sol, devant la porte, et fixe le mur blanc face à elle, complètement perdue.

7

La nouvelle s'est rapidement répandue dans l'École : Roméo a eu un comportement inadmissible. Et c'est aujourd'hui, mardi que se tient le conseil de discipline qui décidera de l'avenir du jeune homme.

Le bon côté de la situation, c'est que la bande a aussitôt oublié la brouille pour entourer Zoé dans cette période difficile. Et la petite rousse est bien contente que personne n'ait utilisé l'exemple de son Petit Père pour lui faire la leçon.

À présent, Zoé attend le verdict avec anxiété dans le hall du bâtiment de la danse. Depuis des jours, elle ne pense qu'à ça et est incapable de se concentrer. Et pourtant, elle en aurait bien besoin : c'est cet après-midi qu'a lieu la dernière répétition de *Paquita* à l'Opéra, avant la première de samedi soir. Et elle n'a aucune envie que le Maître de ballet lui fasse de nouveau une réflexion ! Mais malgré toute sa bonne volonté, dès qu'elle doit se concentrer, son esprit vagabonde, irrésistiblement attiré par la moindre distraction.

– C'est de la procrastination, lui explique Constance.

– De la quoi ? demande Sofia. Je ne connais pas ce mot.

– La procrastination, c'est toutes les distractions qu'on s'invente pour ne pas faire ce qu'on doit faire, explique la brune. Par exemple, au moment de te mettre à tes devoirs de maths, tu trouves tout à coup que ta chambre est vraiment trop mal rangée. Et hop! tu passes une heure à trier tes vêtements au lieu de travailler!

Sofia hoche la tête, tandis que Zoé soupire.

– Mais là, ce sont des pensées! Je ne peux pas les contrôler!

– Peut-être que tu devrais essayer la méditation, lui suggère Maïna. J'ai lu que ça aidait…

Soudain, un groupe de grands débouche dans le hall en parlant avec animation.

– On a des nouvelles pour Roméo? interroge Zoé en apercevant Gil.

Le garçon serre les lèvres, avant de répondre d'une voix grave :

– Il est exclu.

– Combien de temps? demande la petite rousse, qui sent son cœur se serrer.

– Définitivement.

Gil continue à parler, mais Zoé ne l'entend plus. Une peur gigantesque vient de s'abattre sur elle.

– Je suis désolée, Zoé, mais il faut qu'on y aille, murmure Maïna à côté d'elle.

Complètement sonnée, la jeune danseuse suit ses amis.

Après le trajet en bus, pendant lequel Zoé n'a pas décroché un mot, l'arrivée à l'Opéra se fait dans une atmosphère tendue.

– Tu es super pâle, lui dit Maïna quand elles entrent dans les vestiaires.

Elle fouille dans son sac et lui tend un Coca.

– Un peu de sucre, ça te fera du bien, souffle-t-elle.

Zoé acquiesce mécaniquement, ouvre la cannette et boit une première gorgée. Le goût sucré de la boisson l'écœure et elle grimace. De nouveau, elle ressent cette impression étrange, cette fébrilité. L'envie que quelque chose se passe. «Il faut que je fasse un truc, se dit-elle. N'importe quoi, mais je ne peux pas rester là.» La pulsion est irrésistible.

Zoé jette un coup d'œil à l'horloge fixée au mur. Il reste encore une bonne heure avant qu'elle enfile son costume. Elle se lève brusquement.

– Qu'est-ce que tu fabriques? l'interroge Sofia.

— Toilettes, répond-elle simplement, avant de quitter discrètement les vestiaires.

Mais une fois à l'extérieur, elle bifurque et s'enfonce dans le dédale de couloirs du Palais Garnier, le cœur battant.

Elle grimpe des escaliers, avançant au hasard, sans bien savoir ce qu'elle cherche. Mais le fait de braver l'interdit suffit à ce que l'adrénaline s'empare de tout son corps. Elle se sent vivante.

Elle débouche dans un couloir désert et tombe en arrêt devant une porte avec une étiquette fixée dessus.

Zoé lit : «Hugo Dinant».

La loge personnelle de son danseur Étoile préféré! La petite rousse vérifie que personne ne passe dans le couloir, puis colle son oreille contre la porte.

Aucun bruit. «Normal, il est sur scène», songe Zoé. Le cœur battant, elle pose la main sur la poignée. «Ce sera fermé à clef, de toute façon», se raisonne-t-elle en appuyant doucement. Mais miracle… la porte s'ouvre !

Sans hésitation, Zoé s'avance dans la loge et referme vite derrière elle. D'un coup d'œil, elle s'assure que la pièce est bien vide. Soudain, son regard s'arrête sur le costume étalé sur le canapé devant elle. Un collant blanc, une superbe veste militaire bleu ciel aux épaulettes dorées et des bottes d'un blanc éclatant. Zoé le reconnaît tout de suite : c'est celui de Lucien d'Hervilly, l'amoureux de Paquita, personnage interprété par Hugo Dinant. Bouche bée, la petite rousse s'approche à pas lents pour en admirer les détails. Elle n'ose même pas toucher cette tenue tellement elle est impression-née.

Une joie enfantine l'envahit à mesure que son regard se pose sur les détails de la loge. Elle est chez lui, dans son intimité. « Peut-être que je vais découvrir un secret ? » se dit-elle.

Soudain, Zoé entend un bruit. Pani-quée à l'idée d'être découverte, son premier réflexe est de se jeter par terre pour se cacher sous le canapé. Mais la jeune danseuse trébuche. Avec horreur, elle voit la cannette de Coca lui échap-per des mains… et le liquide brun et poisseux se répand sur la superbe veste bleu ciel richement brodée.

– Oh, non ! gémit Zoé, catastrophée. Qu'est-ce que j'ai fait ?

LA DA

LE BALLET DE L

Sentant les larmes lui monter aux yeux, elle marche à reculons vers la porte.

Sur la veste, la tache marron s'élargit, encore et encore. « C'est un cauchemar, songe Zoé. Je vais me réveiller. » Elle sent une sueur froide le long de sa colonne vertébrale.

Cédant à la panique, elle ouvre la porte de la loge et s'enfuit en courant dans le couloir. Les larmes coulent librement sur ses joues à présent, brouillant sa vue.

« Comment j'ai pu être aussi stupide ? se répète-t-elle en dévalant un escalier. Qu'est-ce que je vais devenir ? »

Apercevant un groupe à l'autre bout du couloir, elle fait demi-tour et descend d'un étage supplémentaire.

« Je vais être virée, comme Roméo ! »

se dit-elle en s'adossant au mur pour reprendre son souffle.

Submergée par une vague de désespoir, Zoé se laisse glisser au sol. Elle entoure ses genoux avec ses bras et laisse aller ses larmes, le plus silencieusement possible.

Elle ne sait pas depuis combien de temps elle est dans cette position, quand des pas résonnent dans le couloir. Avant qu'elle ait pu se relever, Hugo Dinant en personne apparaît devant elle.

– Tout va bien? demande-t-il en s'accroupissant. Puis, reconnaissant la petite rousse, il reprend : Zoé, c'est ça? Qu'est-ce qui t'arrive? Pourquoi tu n'es pas avec les autres?

Le premier mouvement de la jeune danseuse est de dissimuler de nouveau son visage. Comme quand elle jouait à cache-cache, petite, et qu'elle pensait que si elle ne voyait pas, on ne pouvait pas non plus la voir.

Puis, réalisant que c'est inutile, elle écarte les paumes, penaude.

— J'ai fait une bêtise… une grosse bêtise. Je suis vraiment, vraiment désolée.

Hugo s'assied par terre à côté d'elle. Comme s'il avait tout le temps du monde, et que l'histoire de Zoé était la seule chose qu'il avait envie d'entendre.

— Raconte-moi, dit-il doucement.

La petite rousse hésite. «Quand il saura que je suis entrée dans sa loge et que j'ai abîmé son costume, il va me détester», se dit-elle.

Finalement, prenant son courage à deux mains, Zoé lui avoue ce qui vient de se passer, sans omettre aucun détail.

Le danseur Étoile l'écoute calmement, et ne laisse rien paraître de ce qu'il peut ressentir.

Son récit terminé, Zoé se sent mieux. Le fait d'avoir avoué la soulage. Rien ne dépend plus d'elle, à présent.

– Je suis vraiment désolée, répète-t-elle encore une fois.

Enfin, Hugo se décide à lui répondre.

– C'est bien que tu me l'aies dit, commence-t-il. Tu sais que tu as fait quelque chose de très grave. On va tous les deux aller prévenir l'École et la responsable des costumes.

Zoé acquiesce. Sa lèvre inférieure tremble quand elle demande :

– Je vais être renvoyée, n'est-ce pas ?

C'est la première fois que Zoé perçoit si clairement les conséquences possibles de ses actes. «Si ça se trouve, tout va s'arrêter aujourd'hui. Juste pour une bêtise, un moment qui a duré quelques secondes à peine!»

La petite rousse sent les larmes couler sur ses joues.

– Je ne sais pas, Zoé, répond Hugo Dinant. Ce n'est pas moi qui décide… Mais tu n'es pas la première élève de l'École qui fait des bêtises… Et tu as avoué tout de suite. Alors garde espoir.

Le danseur Étoile aide Zoé à se relever et ajoute :

– Viens avec moi. En chemin, je vais te raconter quelques anecdotes sur la scolarité d'un danseur rebelle…

– C'est une histoire qui finit bien ? demande Zoé, inquiète.

– Très bien, répond Hugo Dinant en

souriant. Ce danseur est à tes côtés en ce moment même…

Zoé reste muette de surprise.

Le lendemain, mercredi, après le déjeuner, Zoé attend. Ce n'est pas la première fois qu'elle a rendez-vous avec Mlle Pita, la directrice. Mais c'est la première fois qu'elle se sent si mal.

Depuis hier, elle ne pense qu'à ça. «Est-ce que j'ai encore une chance de rester à l'École?» La veille, après l'incident, elle avait rejoint ses amis pour la répétition. Bien sûr, ils l'avaient interrogée : où avait-elle disparu pendant tout ce temps?

«Ils ont remarqué mes yeux rouges aussi…» Zoé n'avait pas voulu leur avouer la vérité tout de suite. Elle avait d'abord dansé. «Sur la scène de l'Opéra. Peut-être pour la dernière fois!»

C'est sans doute cette pensée qui lui avait permis d'être concentrée comme jamais. Elle avait exécuté la chorégraphie parfaitement et, surtout, avait été très attentive aux danseurs qui l'entouraient.

– Bravo, les enfants! avait lancé le Maître de ballet à la fin de leur tableau. C'est exactement ce qu'il faudra faire samedi, d'accord?

Ce n'est que lors du trajet de retour que Zoé s'était enfin confiée à la bande. Tous avaient tenté de la rassurer, mais elle savait que, cette fois, elle avait fait plus qu'une petite bêtise d'internat!

Zoé inspire profondément. Dans quelques instants, elle connaîtra le verdict de Mlle Pita. Une chose est sûre maintenant : elle veut rester à l'École. «Je ne me rendais pas compte de l'importance que ça avait pour moi, avant de risquer de tout perdre», songe la petite rousse.

Quand Garance, l'assistante de Mlle Pita, vient la chercher, Zoé a les jambes en coton.

Environ une heure et demie après, Zoé attend ses amis dans le hall du bâtiment de la danse. Dès qu'ils l'aperçoivent, tous se précipitent vers elle.

— Alors ? interroge Constance. Qu'est-ce qu'elle t'a dit ?

– Je ne suis pas virée ! répond Zoé.

Un soupir de soulagement général accueille la déclaration de la petite rousse. Visiblement, ses amis étaient aussi inquiets qu'elle.

– Enfin, pas définitivement, reprend-elle.

Elle entre ensuite dans les détails : Mlle Pita, qui lui a dit que son comportement n'était pas admissible à l'École, les excuses sincères qu'elle a présentées, sa promesse de se tenir à carreau dorénavant…

– En revanche, je suis exclue pour huit jours.

– C'est pas vrai ?! s'écrie Colas. Tu pars quand ?

– Je prends l'avion demain, répond Zoé. Du coup, pas de *Paquita*, bien sûr. Désolée, Colas…

C'est Maelys, une autre élève de sixième division, qui remplacera la petite rousse samedi soir.

– Tu dois être super déçue, murmure Sofia.

– Je suis triste de ne pas danser avec vous, répond Zoé. Mais honnêtement, je suis surtout super soulagée de ne pas être virée définitivement de l'École.

Ses amis approuvent, avant de l'entourer dans un câlin collectif dont ils ont le secret. Zoé s'autorise un soupir de soulagement. «J'ai vraiment eu chaud!»

La semaine d'exclusion de l'École est plus difficile que Zoé l'imaginait. Bien sûr, elle est de retour chez elle, auprès de

ses parents. Mais ils travaillent toute la journée, sa mère dans son atelier, son père dans son bureau. Tim est chez sa nounou, et Zoé erre seule dans la maison. Le vendredi, elle s'ennuie tellement qu'elle prend de l'avance dans ses devoirs !

Mais le plus dur, c'est le samedi. Le jour de la première de *Paquita*. Durant toute la journée, Zoé ne peut s'empêcher d'imaginer ce que ses amis sont en train de faire.

«Là, ils doivent être arrivés à l'Opéra Garnier», songe la petite rousse, alors qu'elle lit une histoire à son petit frère. «Maintenant, ils doivent être en costume…», se dit-elle, alors qu'elle fait semblant de feuilleter un magazine.

Soudain, son téléphone vibre, et Zoé découvre un message de Sofia.

*Hello Suricate ! On pense tous très fort à toi !
Et on vient de parler avec quelqu'un qui te dit
bonjour ! Bisettes. La bande.*

Zoé fronce les sourcils, perplexe. Puis son
téléphone vibre à nouveau, et une photo
s'affiche à l'écran. C'est Hugo Dinant, tout
sourire, au milieu de ses amis.

Zoé sourit. Elle est heureuse de constater
que la bande ne l'oublie pas… mais elle ne
peut s'empêcher d'avoir un pincement au
cœur en voyant Maelys à côté de Maïna
sur la photo. «Ça aurait dû être moi»,
se dit-elle. Puis elle prend une profonde
inspiration, et se reprend. «Ça aurait pu
être moi, mais j'ai fait une bêtise. Et ça
n'arrivera plus !»

9

Quand elle revient à l'École, le vendredi suivant, Zoé est remontée à bloc. Et pour achever de la mettre de bonne humeur, la matinée commence bien : elle est félicitée par Mme Lepage !

– Bravo, Zoé, lui dit-elle, alors que la petite rousse vient de résoudre correctement un problème de maths au tableau. Tu progresses !

La jeune danseuse retourne à sa place avec un immense sourire.

Pendant cette semaine d'exclusion, la petite rousse n'a pas fait que ses devoirs. Elle a aussi beaucoup réfléchi. Et elle a pris de bonnes résolutions. Au premier rang desquelles figure l'idée de se faire pardonner par ses amis. « Ils sont toujours là pour moi. À mon tour d'être là pour eux », se dit-elle en les regardant disputer un double de ping-pong après le déjeuner.

Dès le lundi suivant, Zoé met en pratique les idées qu'elle a listées pendant son week-end chez M. et Mme Lemaire. Elle commence par proposer son aide à Sofia pour ses cours de français langue étrangère. Si la jeune Italienne parle maintenant très bien, elle a encore un peu de mal à écrire correctement… ou à assimiler les expressions idiomatiques françaises ! Heureusement, Zoé n'est jamais à court d'idées : elle crée un cahier d'expressions, qu'elle illustre avec des dessins humoristiques. Résultat : Sofia rit… et retient !

Elle met aussi ses talents de couturière au service de la bande, cousant les rubans des nouveaux chaussons de Maïna, ou ajoutant une pièce de tissu sur les coudes d'un pull de Colas.

Bien sûr, une grande partie de son énergie est réservée au cours de danse. Zoé s'applique, travaillant dur pour rattraper le retard qu'elle a pris pendant sa semaine d'absence.

Et tous ses efforts semblent payer, car la semaine se déroule à merveille, sans le moindre incident.

Le vendredi matin, pourtant, un premier nuage apparaît dans ce tableau idyllique… Pendant la récréation du matin, Zoé cherche ses amis. Colas et Sofia ont quitté la salle de classe en trombe, sans l'attendre, et quand elle les découvre enfin dans la cour intérieure, ils sont en grande discussion avec Constance, Bilal et Maïna.

Elle leur fait un signe joyeux, mais ils l'ignorent et s'éloignent. «Pourtant, ils m'ont vue, j'en suis sûre!» se dit la petite rousse, vexée.

Son premier mouvement serait de se lancer à la poursuite de ses amis et de les interroger, de les forcer à s'expliquer. Mais elle est prise d'un doute. «Visiblement, ils veulent se parler sans moi, réfléchit-elle.

Et ils ont peut-être une bonne raison… Je dois leur laisser le bénéfice du doute. »

Zoé est perdue. Se montrer plus patiente tient une bonne place dans la liste des efforts à faire qu'elle a dressée pendant sa semaine d'exclusion. « Parfois, tenir ses résolutions, c'est vraiment compliqué », songe-t-elle en soupirant.

Et Zoé a raison : ses amis se sont bien isolés volontairement, car ils ne veulent pas lui donner de faux espoirs. Ce matin, les internes ont appris que Maelys était malade. La jeune danseuse doit être vraiment mal en point, car elle est allée à l'infirmerie sans même avoir pris son petit déjeuner…

Depuis, toute la bande a eu la même idée. Et, à la récréation, ils se sont réunis pour en discuter.

– La seule qui connaisse parfaitement le rôle, c'est Zoé! s'écrie Maïna.

– Mlle Pita n'acceptera jamais qu'elle participe à la dernière, après ce qui s'est passé…, soupire Constance.

Car *Paquita* est joué ce vendredi soir pour la dernière fois à l'Opéra Garnier…

– Ça, on n'en sait rien, si on n'essaie pas, fait remarquer Bilal.

La décision du groupe est vite prise : ils vont aller plaider la cause de leur amie auprès de Mlle Bacci. Si la proposition émane de la prof de danse de caractère, Mlle Pita l'acceptera peut-être…

– En tout cas, c'est notre meilleure chance! résume Sofia.

Pendant la pause déjeuner, les cinq élèves vont donc parler à Mlle Bacci.

C'est Constance qui expose le problème.

– Nous avons eu une idée pour la représentation de ce soir, commence-t-elle. Puisque Maelys est malade, nous nous demandions si Zoé ne pourrait pas reprendre son rôle.

– Après ce qui s'est passé, cela me semble compliqué…, répond la prof de danse de caractère.

– Mais elle a déjà été punie, remarque Maïna. Et depuis son retour à l'École, elle fait énormément d'efforts.

La prof observe les cinq élèves qui la regardent, pleins d'espoir.

– Bon, finit-elle par déclarer. Je ne vous

promets rien, mais je veux bien en parler à Mlle Pita.

Le groupe accueille cette nouvelle avec des exclamations de joie. Puis tous les cinq partent retrouver Zoé à la cantine. Il n'y a plus qu'à croiser les doigts maintenant…

Une demi-heure plus tard, les six amis s'apprêtent à quitter le réfectoire quand Marc, le surveillant, interpelle Zoé.

– La directrice veut te voir, lui annonce-t-il.

– Ah bon? s'étonne la petite rousse. Pourquoi?

– Elle ne m'a pas donné d'explications, répond le surveillant.

Zoé rejoint ses amis dans la cour intérieure, intriguée.

– Qu'est-ce que j'ai fait? leur demande-
t-elle, inquiète. Vous avez une idée?

Les autres ne révèlent rien de leur plan,
mais tous espèrent que Mlle Pita va
annoncer une bonne nouvelle à leur
amie…

Peu après, Garance conduit Zoé
jusqu'au bureau de Mlle Pita.

– Tu dois te demander pourquoi je t'ai
convoquée…, commence la directrice.

La petite rousse hoche la tête.

– Tu sais sans doute que ta camarade
Maelys est malade, reprend Mlle Pita.
Elle ne pourra donc pas participer à la
dernière de *Paquita*.

La respiration de Zoé s'accélère.

– Mlle Bacci me propose que tu

reprennes ton rôle pour ce soir, puisque tu as participé à toutes les répétitions…

Zoé attend la suite avec une impatience mêlée d'incrédulité. «C'est trop beau pour être vrai!» songe-t-elle.

– Je t'avoue que j'ai hésité avant de prendre ma décision, poursuit la directrice. Mais deux éléments ont fait pencher la balance. D'abord, tous tes enseignants s'accordent à dire que tu fais beaucoup d'efforts depuis ton retour.

La petite rousse se tortille sur son siège, mourant d'impatience.

– Et puis, il y a aussi eu l'intervention de Hugo Dinant. Il a tenu à me parler après l'incident du costume. Pour me préciser à quel point tu regrettais ce qui s'était passé… et que tout le monde méritait une seconde chance.

Zoé n'en revient pas. «Hugo Dinant a parlé de moi à Mlle Pita?» pense-t-elle, émerveillée.

– Bref, je t'ai fait venir pour t'annoncer que je donnais mon accord. Tu participeras à la représentation ce soir.

– Merci beaucoup, c'est fantastique! s'écrie Zoé, folle de joie.

– Que les choses soient claires, reprend Mlle Pita, avec un regard sévère. C'est tout à fait exceptionnel et ce n'est possible qu'en raison de l'indisponibilité de Maelys. Ne crois pas que tu peux relâcher tes efforts. Je compte sur toi…

– Je vous le promets! répond Zoé.

«Et je me le promets, à moi aussi», songe la petite rousse en quittant le bureau.

– **Je n'en reviens pas** d'être ici ! s'exclame Zoé en regardant autour d'elle.

La bande est réunie dans le foyer de la danse, dans les coulisses de l'Opéra Garnier. Les six élèves sont en tenue, et très excités. Dans un peu plus d'une heure, ils danseront tous ensemble sur la scène de l'Opéra. Leur rêve le plus fou va se réaliser !

– C'est dingue, quand même, que

Mlle Bacci soit allée parler à la directrice, ajoute Zoé, perplexe.

Ses amis échangent des sourires que la petite rousse ne remarque pas.

— Mais peu importe, conclut-elle, je compte bien en profiter à fond!

Zoé poursuit son échauffement avec sérieux. « Ce soir, tout doit être parfait, se dit-elle. C'est une soirée dont je me souviendrai toute ma vie, j'en suis sûre! »

— Faut que je passe aux toilettes, annonce-t-elle soudain.

Aussitôt, cinq regards méfiants se tournent vers elle. Après une seconde d'incompréhension, Zoé éclate de rire.

— Cette fois, je vous jure que c'est vrai!

Mais alors qu'elle s'apprête à quitter la grande salle, la petite rousse tombe nez à nez avec…

– Hugo !

– Bonsoir, Zoé, répond-il. Ravi de te revoir ici !

– C'est grâce à vous ! s'écrie la petite rousse, heureuse d'avoir l'occasion de remercier son bienfaiteur. Mlle Pita m'a dit que vous lui aviez parlé… Merci, merci beaucoup, c'est génial !

Le danseur Étoile éclate de rire.

– Moi aussi, il y a eu des plus grands pour m'aider quand j'en ai eu besoin, lui dit-il. J'espère que tu feras la même chose quand tu en auras l'occasion.

La petite rousse s'empresse d'acquiescer, avant de recommencer à remercier le danseur. Puis elle prend une profonde inspiration. Il y a une chose qu'elle aimerait demander à Hugo Dinant. Elle y pense depuis ce midi.

Voyant que le danseur Étoile s'apprête à repartir, elle se jette à l'eau.

– Excusez-moi ! Je peux vous demander encore quelque chose ?

– Bien sûr, vas-y !

– Est-ce que… vous voudriez bien devenir mon Petit Père ?

« Dis oui, dis oui, dis oui !!! » le supplie-t-elle intérieurement.

Hugo attend une seconde avant de lui répondre, comme pour faire durer le suspense. Mais le sourire qui s'affiche sur son visage ne laisse pas la place au doute. Il déclare :

– Je veux bien, mais à une condition.

– Laquelle ? demande Zoé, le cœur battant.

– Que tu me tutoies ! Je ne suis pas si vieux que ça, hein !

Zoé bondit de joie.

– Oh, merci, merci, merci !

Puis, se rappelant ce qu'elle était partie faire, elle bredouille précipitamment :

– Il faut que j'y aille, maintenant ! Salut !

Elle entend le rire du danseur résonner derrière elle. «Décidément, cette jounée est un rêve !» songe-t-elle.

La chaleur des projecteurs frappe le visage de Zoé lorsqu'elle s'avance sur la scène de l'Opéra. Elle devine les spectateurs, assis à quelques mètres à peine, dans leurs profonds fauteuils rouges. Pendant un court instant, tous les regards seront braqués sur eux, les élèves de sixième et cinquième divisions, les plus jeunes danseurs de l'École.

Alors qu'elle tend la main à Colas pour entamer la chorégraphie, elle ressent une immense fierté. Son trac s'est évanoui, remplacé par de la joie, une joie sans égale. Elle se sent parfaitement détendue, dans son élément. Elle connaît ses entrées, ses mouvements, par cœur. Mieux encore, elle danse avec ses amis les plus chers, sa nouvelle famille.

La musique la porte, sa jupe tourne autour d'elle, son regard croise celui de Colas et elle lui sourit. Elle a l'impression d'avoir été transportée dans un monde parfait.

Mais déjà, la scène s'achève. Les petits danseurs doivent laisser leur place.

Zoé n'est même pas déçue que ce soit

passé si vite. Elle est si heureuse de ce cadeau inattendu qu'elle a profité de chaque instant.

Dans les coulisses, elle se jette dans les bras de Maïna et de Constance, et les serre si fort que ses deux amies finissent par crier grâce.

– C'était génialissime ! souffle la petite rousse. Le plus merveilleux sentiment de la terre ! Je veux y retourner ! Non, je veux passer ma vie sur ces planches ! Je veux dormir ici ce soir !

Toute la bande éclate de rire.

– L'avantage, avec notre Zoé, c'est qu'elle n'exagère jamais, remarque Constance.

– Exagérer ? Mais je suis en dessous de la vérité, vous voulez dire ! se récrie la petite danseuse. Et puis de toute façon, vous m'aimez comme je suis, pas vrai ?

Maïna et Sofia échangent un regard que Zoé ne parvient pas à déchiffrer.

– On lui donne maintenant ? demande la jeune Italienne.

– Me donner quoi ?

– On a une surprise pour toi, explique Bilal.

– On s'est demandé comment te remonter le moral, vu que ces derniers temps, ça n'a pas été facile pour toi, poursuit Colas.

Sofia va chercher dans son sac un cahier à la couverture décorée de paillettes, de dessins et de collages.

La petite rousse déchiffre le titre avec un large sourire :

– *La vie selon Zoé* ?

– Ouvre ! l'encourage Sofia.

Zoé tourne les pages et découvre un ensemble de photos, de textes de chansons, de citations – d'elle ou de la bande –, de dessins, tous rappelant une anecdote vécue ensemble.

– Vous avez récupéré ma caricature de Mlle Pita ?! s'écrie Zoé en tournant une nouvelle page. Mais vous êtes dingues ! C'est trop gentil !

– Tu passes ton temps à essayer de nous faire rire, c'est normal qu'on te remonte le moral quand tu n'es pas au top ! remarque Bilal.

– Et même si tu es un peu pénible parfois, se moque Constance, on t'aime comme tu es.

– Notre seule et unique Zoé, approuve Maïna.

– Notre flocon de neige ! s'écrie Colas.

Tous les visages se tournent vers lui, perplexes.

– Quoi ? demande Zoé. Pourquoi un flocon de neige ?

– Mais oui, persiste Colas. Les petits rats et les flocons de neige, c'est la même chose. Quand on les observe de loin, on peut croire qu'ils sont tous pareils. Mais si on s'approche pour les examiner attentivement, on se rend compte qu'au contraire, ils sont tous absolument uniques !

Ce soir-là, dans le bus qui les ramène à l'École, Zoé regarde, émerveillée, les flocons qui volettent doucement dans la nuit froide. Elle est heureuse. Elle a trouvé sa place. Unique, mais entourée de ses amis, dans sa nouvelle famille. La danse.

Savais-tu que l'École de Danse de l'Opéra se situe bien au 20, allée de la Danse?

Ces quelques pages te permettent d'en savoir encore plus...

Paquita

Paquita est un ballet créé par Joseph Mazilier et Paul Foucher en 1846 sur une musique d'Édouard Delvedez. En 1881, Marius Petipa remanie des mouvements et ajoute la danse polonaise des enfants : une nouvelle version est née ! C'est celle-ci qui sera le plus souvent dansée, avant que le chorégraphe Pierre Lacotte propose à l'Opéra de Paris de reconstituer, en 2001, l'œuvre originale de Mazilier, tout en conservant certains ajouts de Petipa.

L'histoire se déroule en Espagne au XIXᵉ siècle. Paquita enfant a été arrachée à ses parents nobles par des gitans. Jeune fille, elle rencontre Lucien d'Hervilly, un bel officier français, dont elle tombe amoureuse. Les deux amants déjouent un complot et prouvent la haute naissance de Paquita avant de pouvoir enfin se marier. Intrigue à rebondissements, danses de caractère espagnoles, décors et costumes flamboyants font de ce ballet un spectacle haut en couleur !

L'atelier des costumes de l'Opéra

Environ 150 personnes travaillent pour la direction des costumes de l'Opéra de Paris. Les tenues de scènes des ballets sont entièrement réalisées à Garnier, dans l'atelier des costumes. Elles sont imaginées par le metteur en scène, le scénographe ou un grand couturier, puis confectionnées par l'atelier. Les costumes sont taillés sur-mesure et conçus pour faciliter les mouvements. Pas question qu'ils empêchent les danseurs de bouger ou de respirer ! Les costumes et les accessoires doivent être aussi beaux de loin que de près. Ils seront admirés par le public dans la salle mais aussi par des spectateurs au cinéma dans une version filmée du ballet. Outre l'atelier de couture, la direction des costumes compte un service spécialisé dans la réalisation des chapeaux, perruques et maquillages.

LE SAVAIS-TU ?

À l'École de l'Opéra, les petits rats apprennent à « marquer » les mouvements : ils esquissent juste les gestes. C'est une façon de préparer une chorégraphie en se repérant sur la musique et dans l'espace sans se fatiguer !

Découvre les autres histoires
de nos petits rats de l'École de Danse !

N° d'éditeur : 1024375

Cet ouvrage a été achevé d'imprimer en janvier 2018
N° d'impression : 1603743 – Imprimé en Allemagne

MIXTE
Papier issu de
sources responsables
FSC® C022030

FSC
www.fsc.org